Chicken Little

Conquers Fear

A Christian Faith Tale

Story Retold by Beverly Capps Burgess

Illustrations by Elizabeth Linder

Translation by Dr. Juan Hernández

A Little Lamb Book
Broken Arrow, Oklahoma

All Scripture quotations are taken from the *King James Version* of the Bible.

Spanish biblical quotations taken from the 1961 *Reina-Valera Version*.

Chicken Little Conquers Fear
Tito el Pollito Conquista el Temor

ISBN 0-89274-414-6

Copyright © 1987 by Beverly Capps Burgess
P.O. Box 520
Broken Arrow, Oklahoma 74013

Published by *Burgess Publishing, Inc.*
P.O. Box 520
Broken Arrow, Oklahoma 74013

Tito el Pollito Conquista el Temor

Un Cuento Cristiano de Fe

Nueva Versión
por
Beverly Capps Burgess

Illustraciones por Elizabeth Linder
Traducción por Dr. Juan Hernández

A Little Lamb Book
Broken Arrow, Oklahoma

One Sunday morning bright and early
Chicken Little went outside to play.
He was dressed in his nicest suit.
He was going to church on a beautiful day!

When suddenly an acorn from the tree above
Fell and hit Chicken Little right on the head.
Chicken Little screamed, "Oh, no! The sky is falling,
And soon we will all be dead!"

Un domingo muy tempranito,
Tito el Pollito salió a jugar.
Traía puesto su mejor trajecito
pues a la iglesia iría a adorar.

De pronto de un árbol cayó una bellota
y a Tito le cayó en la cabeza.
— ¡Oh, no! El cielo se cae — gritó —.
Moriremos. ¡Lo sé con certeza!

This is the day which the Lord hath made; we will rejoice and be glad in it.

Psalm 118:24

Peace I leave with you, my peace I give unto you: not as the world giveth, give I unto you. Let not your heart be troubled, neither let it be afraid.

John 14:27

Este es el día que hizo Jehová; Nos gozaremos y alegraremos en él.

Salmos 118:24

La paz os dejo, mi paz os doy; yo no os la doy como el mundo la da. No se turbe vuestro corazón, ni tenga miedo.

Juan 14:27

"I shall run and tell the King.
That is all that I can do . . . .
I can't imagine that such a horrible thing could happen.
And on a Sunday too!"

He ran and he ran and soon he saw
Turkey Lurkey walking with a Bible in his hand.
"Turkey Lurkey, the sky is falling,
And we must warn all those in the land!"

—Tengo que avisar al Rey.
Es todo lo que puedo hacer . . .
Es increíble que algo tan horrible,
(y en domingo) pueda suceder.

Corrió y corrió y pronto encontró
a Pavito Tabo con su Biblia en la mano.
— ¡Pavito, Pavito, el cielo se cae!
¡Informemos al Rey y a todo el reinado!

There shall no evil befall thee, neither shall any plague come nigh thy dwelling.

Psalm 91:10

Be not afraid of sudden fear, neither of the desolation of the wicked, when it cometh.
For the Lord shall be thy confidence, and shall keep thy foot from being taken.

Proverbs 3:25,26

No te sobrevendrá mal, Ni plaga tocará tu morada.

Salmos 91:10

No tendrás temor de pavor repentino, Ni de la ruina de los impíos cuando viniere, Porque Jehová
será tu confianza, Y él preservará tu pie de quedar preso.

Proverbios 3:25,26

"How do you know the sky is falling?" Turkey Lurkey asked.

"Because I saw it, I felt it, and I heard it," Chicken Little replied.

"I *was* going to church,
But this is much more important," Turkey Lurkey sighed.

— ¿Cómo sabes que se cae? — preguntó el Pavito.
— Yo lo vi, lo sentí y lo oí — contestó el Pollito.
— Pues, *iba* a la iglesia,
pero esto es más importante — lamentó el Pavito.

(For we walk by faith, not by sight:).

2 Corinthians 5:7

(porque por fe andamos, no por vista).

2 Corintios 5:7

It was only a short while till they saw Goosey Poosey.
He had his Sunday hat on, and his shoes shined.
"Should we tell him?" asked Chicken Little.
Turkey Lurkey answered, "If we didn't, it would be unkind."

"Goosey Poosey, you must come with us.
The sky is falling — it is a terrible thing.
We must all go quickly to the palace.
There we can warn the King."

Luego se encontraron a Gansito Mansito.
Iba de sombrero y con zapatos lustrados.
— ¿Le contamos a Gansito? — preguntó Tito.
— Sí — dijo Pavito — si no, diría que somos malos.

— Gansito Mansito, ven con nosotros.
Es horrible, el cielo se va a caer.
Debemos ir todos al palacio.
El Rey lo tiene que saber.

Finally, brethren, whatsoever things are true, whatsoever things are honest, whatsoever things are just, whatsoever things are pure, whatsoever things are lovely, whatsoever things are of good report; if there be any virtue, and if there be any praise, think on these things.

Philippians 4:8

The tongue of the wise useth knowledge aright: but the mouth of fools poureth out foolishness.

Proverbs 15:2

Por lo demás, hermanos, todo lo que es verdadero, todo lo honesto, todo lo justo, todo lo puro, todo lo amable, todo lo que es de buen nombre; si hay virtud alguna, si algo digno de alabanza, en esto pensad.

Filipenses 4:8

La lengua de los sabios adornará la sabiduría; Mas lo boca de los necios hablará sandeces.

Proverbios 15:2

"Oh, my," said Goosey Poosey. "How do you know the sky is falling?"

"Because I saw it, I felt it, and I heard it," said Chicken Little.

"And I believe every word he says," Goosey Poosey confirmed.

Chicken Little and Turkey Lurkey left with Goosey Poosey in the middle.

— ¡Ay de mí! — dijo Gansito —. ¿Cómo sabes que se cae?

— Lo vi, lo sentí y lo oí — dijo Pollito.

— Sí, te lo creo todo — dijo Gansito.

Y se fueron el Pollito, el Pavito, y en medio el Gansito.

The simple believeth every word: but the prudent man looketh well to his going.

Proverbs 14:15

El simple todo lo cree; Mas el avisado mira bien sus pasos.

Proverbios 14:15

Just before they reached the town, they saw Cockey Lockey.
"Where are you going in such a hurry?" he wanted to know.
"Haven't you heard the sky is falling?
We are going to tell the King. Will you go?"

"After all," said Chicken Little, "I know it's true.
I saw it, I felt it, and I heard it too."
"They surely won't miss ME at church," thought Cockey Lockey.
"I think I will come along too!"

Antes de llegar al pueblo, vieron a Guillo el Gallito.
— ¿Adónde van tan de prisa? — el Gallito quería saber.
— ¿No has oído que el cielo se cae?
Ven con nosotros a avisar al Rey. El sabrá qué hacer.

— Después de todo — les dijo el Pollito —, Uds. saben
que yo lo vi, lo sentí y también lo oí.
— ¡Yo voy también! — dijo el Gallito —.
De seguro que en la iglesia no me extrañarán a MI.

The heart of him that hath understanding seeketh knowledge: but the mouth of fools feedeth on foolishness.
Proverbs 15:14

While we look not at the things which are seen, but at the things which are not seen: for the things which are seen are temporal; but the things which are not seen are eternal.
2 Corinthians 4:18

El corazón entendido busca la sabiduría; mas la boca de los necios se alimenta de necedades.
Proverbios 15:14

No mirando nosotros las cosas que se ven, sino las que no se ven; pues las cosas que se ven son temporales, pero las que no se ven son eternas.
2 Corintios 4:18

After many hours of traveling, they reached the palace.

"We must see the King," they told the guards at the gate.

"Sorry," they said, "he is at church."

"Oh, no!" Chicken Little cried. "It's going to be too late!"

Después de muchas horas de viajar, llegaron al palacio.
— Tenemos que ver al Rey — dijeron a los guardias en la entrada.
— Lo sentimos — dijeron — pero el Rey fue a la iglesia.
— ¡Ay, no! — gritó el Pollito —. Será demasiado tarde su llegada.

In righteousness shalt thou be established: thou shalt be far from oppression; for thou shalt not fear: and from terror; for it shall not come near thee."

Isaiah 54:14

Con justicia serás adornada; estarás lejos de opresión, porque no temerás, y de temor, porque no se acercará a ti.

Isaías 54:14

Just then the King's carriage arrived.
The King stepped out with a smile on his face.
"What can I do for you, young man?" he asked,
As he walked toward them with grace.

"Oh, King, it is a terrible thing.
The sky is falling and we had to tell you.
We knew that you would be able
To tell us what to do."

En ese momento llegó el carruaje del Rey.
El Rey sonriendo se bajó.
— ¿En qué te puedo servir, jovencito? —
Caminando hacia ellos con gracia, preguntó.

— Oh, Rey, es algo horrible.
Teníamos que avisarle que el cielo se va a caer.
Estábamos seguros de que Ud. nos diría
qué es lo que debemos hacer.

Great peace have they which love thy law: and nothing shall offend them.

Psalm 119:165

If any of you lack wisdom, let him ask of God, that giveth to all men liberally, and upbraideth not; and it shall be given him.

James 1:5

Mucha paz tienen los que aman tu ley, Y no hay para ellos tropiezo.

Salmos 119:165

Y si alguno de vosotros tiene falta de sabiduría, pídala a Dios, el cual da a todos abundantemente y sin reproche, y le será dada.

Santiago 1:5

The King said to Chicken Little,
"Son, this doesn't make much sense at all.
Why are you so upset?
And why do you think that the sky will fall?"

"Because I saw it, I felt it, and I heard it.
And that's reason enough," Chicken Little spoke out.
"Well," said the King, "I don't mean to sound skeptical,
But I do have my doubts."

El Rey le dijo a Tito el Pollito:
— Lo que dices, hijo, no puedo entender.
¿Por qué estás tan contrariado?
¿Y por qué crees que el cielo se ha de caer?

— Porque lo vi, lo sentí y lo oí.
Y con eso basta — Tito el Pollito declaró.
— Bueno — dijo el Rey —, no es que sea escéptico,
Pero dudo de lo que te pasó.

There is no fear in love; but perfect love casteth out fear: because fear hath torment. He that feareth is not made perfect in love.

1 John 4:18

A thousand shall fall at thy side, and ten thousand at thy right hand; but it shall not come nigh thee.

Psalm 91:7

En el amor no hay temor, sino que el perfecto amor echa fuera el temor; porque el temor lleva en sí castigo. De donde el que teme, no ha sido perfeccionado en el amor.

I Juan 4:18

Caerán a tu lado mil, Y diez mil a tu diestra; Mas a ti no llegará.

Salmos 91:7

"You see, God doesn't give us the spirit of fear.
He doesn't lead us by what we feel, see, or hear,
But by His Holy Spirit, through Jesus Christ,
Who is always near.

"He has given His angels charge over us.
They keep us in all our ways.
It seems to me, you have been letting fear
Rule in your heart all day!"

— Mira, Dios no nos guía por lo que sentimos, vemos u oímos.
Dios no nos da el espíritu de temor.
Dios nos guía por Su Espíritu Santo,
a través del que siempre está cerca: Jesucristo el Señor.

— El nos ha dado sus ángeles para cuidarnos.
En todos nuestros caminos ellos nos dan protección.
Me parece que por todo este día has permitido
Que el temor reine en tu corazón.

For God hath not given us the spirit of fear; but of power, and of love, and of a sound mind.

2 Timothy 1:7

For he shall give his angels charge over thee, to keep thee in all thy ways.

Psalm 91:11

Porque no nos ha dado Dios espíritu de cobardía, sino de poder, de amor y de dominio propio.

2 Timoteo 1:7

Pues a sus ángeles mandará acerca de ti, Que te guarden en todos tus caminos.

Salmos 91:11

"You see, if your trust is truly in the Lord,
You won't be moved when things LOOK bad.
Because you will know God's Word is true.
And you will never have a reason to be sad.

"It seems to me your problem is,
You haven't fed your heart.
You feed it God's Word by going to church and reading the Bible.
And now is a good time for you to start."

— Mira, si confías de verdad en el Señor,
las cosas que APARENTAN ser malas no te podrán mover,
porque sabrás que la Palabra de Dios es verdadera.
Y nunca tendrás razón para entristecer.

— A mí me parece que tu problema es
que has dejado a tu corazón sin alimento.
Debes comer yendo a la iglesia y leyendo la Biblia.
Y para empezar, ahora es un buen momento.

In God have I put my trust: I will not be afraid what man can do unto me.

Psalm 56:11

And Jesus answered him, saying, It is written, That man shall not live by bread alone, but by every word of God.

Luke 4:4

En Dios he confiado; no temeré; ¿Qué puede hacerme el hombre?

Salmos 56:11

Jesús, respondiéndole, dijo: Escrito está: No sólo de pan vivirá el hombre, sino de toda palabra de Dios.

Lucas 4:4

The King spoke to the others . . .
"As for the rest of you, do you see how fear can spread?
If it weren't for believing lies, you'd be at church,
Instead of thinking you'll soon be dead.

"I hope you have all learned your lesson well.
Fear is not of God, so be careful what you hear.
Protecting your heart sometimes will mean
Also covering your ears."

A los otros, el Rey les dijo:
— En cuanto a Uds., ¿ven cómo se propaga el miedo?
Si no hubieran creído mentiras, estarían en la iglesia,
en vez de temer la muerte y la caída del cielo.

— No crean todo lo que oigan; de Dios no es el temor.
Ojalá que todos hayan aprendido una lección.
Cubriéndose los oídos,
se puede algunas veces proteger el corazón.

The Lord is my light and my salvation; whom shall I fear? the Lord is the strength of my life; of whom shall I be afraid?

Though an host should encamp against me, my heart shall not fear: though war should rise against me, in this will I be confident. Psalm 27:1,3

Keep thy heart with all diligence; for out of it are the issues of life. Proverbs 4:23

Jehová es mi luz y mi salvación; ¿de quién temeré? Jehová es la fortaleza de mi vida; ¿de quién he de atemorizarme?

Aunque un ejército acampe contra mí, No temerá mi corazón; Aunque contra mí se levante guerra, Yo estaré confiado. Salmos 27:1,3

Sobre toda cosa guardada, guarda tu corazón; porque de él mana la vida. Proverbios 4:23

Chicken Little, Turkey Lurkey, Goosey Poosey and
Cockey Lockey
Were the first ones at church that night.
From that day on they read and studied the Word of God
With all their might.

If you will study God's Word
And get it into your heart,
You can keep fear far away from you.
And you are never too young to start!

Tito el Pollito, Pavito Tabo, Gansito Mansito y Guillo el Gallito
esa noche a la iglesia fueron los primeros en llegar.
De ese día en adelante, juntos, con gran entusiasmo,
la Palabra de Dios se pusieron a leer y a estudiar.

Si estudias la Palabra de Dios,
y en tu corazón la haces morar,
mantendrás lejos el temor.
¡Y nunca se es demasiado joven para empezar!

Poverty and shame shall be to him that refuseth instruction: but he that regardeth reproof shall be honoured.

Proverbs 13:18

Study to shew thyself approved unto God, a workman that needeth not to be ashamed, rightly dividing the word of truth.

2 Timothy 2:15

Pobreza y vergüenza tendrá el que menosprecia el consejo; Mas el que guarda la corrección recibirá honra.

Proverbios 13:18

Procura con diligencia presentarte a Dios aprobado, como obrero que no tiene de qué avergonzarse, que usa bien la palabra de verdad.

2 Timoteo 2:15

Dear Parent:

You as a parent need to teach your children how to be free from fear. Fear is one of the most destructive devices known to man. Fear brings destruction. It opens the door to the enemy.

Your children need to understand that no matter how great the circumstances that surround them, God is greater. They need to learn how to "protect their hearts" by being careful what they see and hear. Plant the Word of God in their hearts when they are young and they WILL trust in the Lord all their lives. And when they face situations in life for which they need courage, they will have FAITH because . . . **faith cometh by hearing, and hearing by the word of God** *(Rom. 10:17). Instead of fear, the Word of God will be stored away in their hearts!*

As you read Chicken Little Conquers Fear *to your children, take time to help them study and memorize a scripture or two. Soon those children will be quoting scripture verses to you when you need encouragement.*

God bless you as you train your children in God's Word!

— Beverly Capps Burgess

Queridos Padres de Familia:

Como buenos padres, Uds. necesitan enseñarles a sus hijos a dominar el temor. El temor es una de las amenazas más destructivas que conoce el hombre. El temor arruina sus vidas y abre la puerta al enemigo.

Sus hijos necesitan entender que Dios es más grande que cualquier circunstancia adversa que los acose. Necesitan aprender a "proteger sus corazones" siendo cuidadosos de lo que ven y de lo que escuchan. Padres, siembren la Palabra de Dios en los corazones de sus hijos desde la niñez, así ellos confiarán en el Señor por el resto de sus vidas. Cuando se enfrenten a situaciones en la vida que requieran valor, ellos tendrán FE porque . . . la fe es por el oír, y el oír, por la Palabra de Dios (Romanos 10:17). En lugar de temor, ¡tendrán la Palabra de Dios almacenada en sus corazones!

Al leer Tito el Pollito Conquista el Temor a sus hijos, tómense unos momentos para ayudarlos a memorizar uno o dos de los versículos bíblicos. Verán que muy pronto los niños empezarán a recordarles los versículos cuando Uds. necesiten ánimo.

¡Dios les bendiga al enseñarles la Palabra de Dios a sus hijos!

— Beverly Capps Burgess